모노크롬

모노크롬

발 행 | 2024년 04월 18일
저 자 | 노아 (@officially_nox)
펴낸이 | 한건희
펴낸곳 | 주식회사 부크크
출판사등록 | 2014.07.15(제2014-16호)
주 소 | 서울특별시 금천구 가산디지털1로 119 SK트윈타워 A동 305호
전 화 | 1670-8316
이메일 | noxh.nox@gmail.com

ISBN | 979-11-410-8178-2

www.bookk.co.kr

모노크롬

노아 문장시집

차례

프롤로그

모노크롬

레퍼런스

프롤로그

미안합니다, 나는 시를 모릅니다. 이때까지 배운 것이라고는 제 인생의 단 한 번 뿐이었던 특정 시험을 위해 타인들이 제 뇌를 뚫고 호스를 꽂아 주입과 소화를 강요하였던 것뿐이었습니다. 그 외의 운문은 제대로 공부를 한 적도, 누군가 제대로 알려준 적도 없습니다. 그렇기에 나는 당신이 원하는 심상을 담아낼 능력도 되지 않았고, 담아내고 싶지도 않았습니다. 누구에게나 사랑받지 못할 것이 뻔한데, 누군가의 손에서 떠나가 먼지 쌓인 구석에 처박힌 종이조각 하나로 남을 것이 뻔한데 어찌 타인이 설정한 의미 없는 개념에 따르고 맞추어야 하는지요.

그래서 조금은 달라지고 싶었습니다, 당신이 받아들이지 못하는 것을 써내려가고 싶었습니다. 써내려간 얇은 종이들을 옮긴 후 구겨버릴 만큼 별 볼 일 없더라도, 일부러 퇴고는 많이 하지 않았습니다, 감정을 빨아 쓸수록 채도는 약해지는 것과 똑같으니까요. 최대한 날 것 그대로의 핏내 나는 색채 없는 마음을 전할 수 있다면 그것으로 족합니다.

나의 어지러운 글자들이
당신에게는 조금의 의미로 남았으면 하네요.

모노크롬

흑백논리

세상에 색이 있음에도
네가 만든 부재의 세계에는 없었다고
악의 없는 감언으로 스스로를 세뇌하고

흑과 백만이 전부는 아니더라고
너는 말을 했지만
비어있는 마음에 머물던 색조의 나비는
곧이어 숨결마저 흐리워져 가겠지요

무성영화

부르짖는 것이 사랑인지 비명인지 모르겠습니다
분에 겨워 내뱉는 달떠버린 소리인지
죽음의 코앞에 멈춰선 두려움이 가득한 소리인지
알 도리가 없지요
마지막까지 여지도 주지 않았으니

내게 당신이 소리 없는 방아쇠를 당긴다는 건
결국 내가 유서를 쓸 시간이 도래했다는 것이고

필름

변색된 폴라로이드는
더 이상 제값을 하지 못해
누군가의 갈피가 되어
낡은 책의 알 수 없는 페이지 사이로 들어가고

뚝뚝 끊어진 이야기의 조각과
텅 빈 채 남아버린 영사기는
더 이상 어떤 관객도 들이지 못하고
드르륵 드르륵 제자리에서 태엽만

체스

눈을 감고 추는 페어 댄스
한 수 앞을 예상한 채
상대가 너의 발걸음을 맞출 것이라 믿고
발을 내딛는다면
아래로 아래로
체커보드 밖으로

너라는 나이트를 움직이는 퀸은
대체 누구였기에

그림자

어둠에 기생하고
행복을 싫어하며
눈 닿는 곳마다 어느새 스미고
아픔은 모두 갉아먹고 사는 자

겉으로는 가려진 자해상에
지워도 번지기만 하는 것이라면
그게 나였든 바이스 벌사였든
피차 마찬가지일 텐데

흑백영화

어여쁜 로망스보다 잔혹한 파멸이 널렸던 이유는
사랑의 채도를 감히 담아내지 못하는
시절 기술의 한계에 그쳤답니까

찰나의 편린으로 남아버린 비정파는
온갖 클리셰를 치장한 채로
총구에 겨눠져 프레임 밖으로 사라지겠지요

판화

먹을 칠하는 판의 굴곡에
수없는 종잇장이 스쳐 가면
닳고 닳고 닳아
백지를 흑지로 만들어버리고

천편일률로 찍어내는 삶에
해답이 단 하나라면
먹지에 수정펜으로 유언이라도 남깁시다

낮과 밤

점점 무너지는 새벽
감정에 얽매여
한밤중으로 이미 돌아가기엔 늦어버렸다

사랑이 아니라면
이 정도까지는 이끌리자 못할 것이야

낮이 앓은 상처에서 너울대는 밤의 바다는
천연히 내게로 밀려오라

이분법적

첫 의 반대말이 끝이라면
우리의 기억에는
첫 만남과 끝 만남밖에 없나요

첫 만남이 그리도 힘들었는데
끝 만남도 그렇게 힘들었나요

정반대라면서요
끝 만남은 힘들지 말았어야지

옛날 사진

햇살이 참 맑아서
그날처럼 따스해서

통화 버튼에서 손을 떼지 않으려 했는데
야속하게 미끄러져버린 손가락 때문에
급히 검은 색으로 변해버린 화면은
시간만 버리는 나를 비추어

타임라인에
수많은 새로운 기억에
잠겨갔던 건 너와 나의 한때

죽음

쓰라린 매일에
빛나는 날은 오지 않을 거라고
끝없는 계단만 올라가며
발 아래로는 카스카라를 뿌리고

결국에는 숨통을 조여맨 채
심장을 끄집어내기나 하자고
서로의 발꿈치를 채찍질이나 하며

레트로

기억을 걷는 시간이
이렇게 단조로웠다면
그 단조로움에 질식해
격동마저 찾지 못하고 떠났을 텐데

요란하던 색채 장신구
시끄럽게 진동하는 나날과는 다르게
추억이라 불리는 편린은 어째서 빛바랬던가요

결국에는 찍지 못했던 세 글자
100

회상

글자들이 흩어지고 난 후
판도라의 상자 안에는 무엇이 남았나요

차마 꺼내보지 못했던
나의 과거를 투영한 나의 미래
아무것도 생각나지 않습니다

안녕
떨어져서 굴러가는 약통과
붉게 물들어버린 조각들

몽환

내가 더 사랑했더라면
우리의 마지막은 계절을 넘었을까

우라 조금 더 늦게 만났더라면
변명뿐인 타이밍이 그래도

잘 자
오늘 밤도
내 곁엔 네가 없겠지만

꿈

흑백의 꿈을 꾸면
건강한 수면을 한답니다

꿈에서 스친 장면을
후에 앨범에서 찾아 꺼냈을 때
퇴색된 채 드문드문 명암만 남았다면

나의 꿈은 건강한가요
아직도 또렷이 기억나는데

재 (滓)

단 하나를 위해
아홉 번을 불사지르고

두 눈에 두려움을 안은 채
난도질당한 마음을 숨깁니다

심장이 불타버리고 남은 잔해물에는
그 부피만큼의 사랑과
그 부피만큼의 정열과
그 부피만큼의 후회가

색조 화장

채도의 대비
너를 제외한 모든 것이 점멸하는 세계에서

그래도 나는 꾸며보았다고
그래도 나는 노력해보았다고
어울리지도 않는 푸른색의 화장품을 덕지덕지

너에게 나를 각인시키는 법은
괴상한 모습 뿐 없었던 걸까

쿠키 속 크림

너무 솔직한 탓에
하얗게 바스라지는 속을 그대로 내보였습니다
다들 겉모습만 본다기에
숨겨질 줄 알았더니

검은 껍데기를 버려두고
하얀 속살만 핥아먹으면

고객님,
이 쿠키 속 크림은 정량의 두 배입니다
슈가 러쉬를 조심하세요

밤 중의 달

당신의 시린 손이 구원이었다면
그 밤들이 이렇게 아름다웠겠습니까
아침이 저렇게 잔인하게 왔겠습니까

밤의 허리를 베어
찔린 자리를 아물게 한 후에야
닥쳐올 새벽에 발을 동동대고

영원 따위 말로만 존재하니
새벽이 오면 당신도 저물고

우주탐사선

세상에 남은 것은 추락뿐이라
끝에 남은 것은 내가 나조차도 아니라

그저 어딘가에 무사히 도래하기만
방황이라는 바람에 날개가 꺾이지 않아야만

표류하던 별은
해왕성에 불시착한 유랑자가 되었고

때 묻은 은목걸이

당신과 나는 똑같은 내용으로 기도했습니다

허나 신이 그렇게 편파적인 분이셨을까요
왜 당신의 기도만 들어주셨을까요
당신의 사랑이 너무나 커서
내 사랑이 보이지 않았던 걸까요

아닌데
기회만 된다면 모든 증거를 꺼내놓고 싶은데
그에게 항소할 거리는 너무나도 많은데

눈의 깜빡임

인간은 무언가에 빠지면
눈조차 감을 수 없도록
조물주가 설계한 것이 분명하다

물속에 뛰어들어
익사하는 주인공은
마지막까지 눈을 뜨고 있었으니

순식간에 지나가는

만 삼천 원짜리 영화

권태

저기 당신
진부한 생에
약속 하나 할래요?

그냥 응, 한 마디만 해줘요
그래요, 좋아요

약속이에요
마지막 찰나에
살아서 만나기로

죽을 만큼 지루했지만
포기하지는 않았다고

통달

사랑을 알아요?
나는 몰라요
누군가는 생의 전부라던데
다 헛소리 같고요

그런데
우리

사랑을 알 수는 없어도
당신의 다음 페이지를
상상할 수는 있잖아요

무감

당신의 눈에는
당신이 휘두른 펜촉에
상처가 나 피가 흐르는 게 보이나요

나의 눈에는
살에 잉크를 흘리는 것에 그쳤는데

석판

흑색 바탕이
흰색으로 변하고

하얀 글자들이
색조 있게 흩뿌려진대도

긁는 소리를 내며 새겨진
문지르지 못한 기억이
버리기 전에는 지울 수 없는
흠집처럼 남아

기록

망애 (忘愛)

어…
잃어버렸는데요

어…
잊어버렸는데요

정의

사랑이라는 것을
당신의 언어로는 무엇이라 하나요

과거

시간 납치설

포근을 가장한 시림이 가지를 덮으나
그럼에도 한때는 개화하고

빠른 속도로 떨어지는 시간의 계절은
짙은 풀내음에 질식해 간다

나는 내일
우리의 과거와 만난다

폴라로이드

싸구려 잉크로
낡은 카메라로

상당히 촌스럽고
내 뜻대로 나오지도 않았고

하지만
보정 없는 날것이
가장 예쁜 법이잖아요

어둠

사랑합니다
그대가 빛이 보이지 않는 나락으로 떨어져도

마음 편히 사랑받으세요
얼굴이 보이지 않는 이에게

예쁘다, 예쁘다
어둠의 힘을 빌려

쓰담, 쓰담

밤

너와 나는 같은 하늘을
지겹도록 바라보며 약속했다

너에게 뻔히 보이는 나의 기도는
네가 언제라도 그곳에 있어 주는 것

네가 사랑하던 오리온자리는
우측 상단의 적색 거성 하나만 남긴 채 점멸했고

옛날에 출발한 우리의 빛은
너에게 당도하기도 전에 꺼져버렸나

겨울

모순덩어리일 뿐인 이 시린 날에

나는 너에게

네가 흘린 피가 나를 피웠다고
세상은 너에게만 모진 것이 아니라고

너의 波瀾이 곧 나의 봄이라고

도화지

마음이 유연하지 못해서
접으려 할 때마다 마디마디가 아우성을 치는데
그럼에도 좋은 점이라 한다면
다른 종이보다는 두꺼워
쉽게 무너지지 않고 날아간다는 것

현대 사회에 도태된 아날로그
마음을 실은 구깃구깃한 종이비행기를
목적지 미상의 당신께 날리오니
당신은 흰 비둘기로 답신을 전해주십사

천국

신이 버린 자가 사는 곳에는
결핍이 존재함으로써 세계가 완성되는데
피로 얼룩진 천국에서는 어이하는가요

나의 결핍은 비로소 당신으로 인해 완전케 되는데
결국 나의 천국은 미완성이었던가요

날개

날개가 꺾여 추락한

당신은
당신만은

외압에 의해 저물면 안 돼

그냥
그래야만 해

거품

바다에게 떨어져내린 흔적 없는 이슬에게
짜디짠 바닷물에 도취하여
하릴없이 보내어둔 감각은
날세운 모래바람에
스산히도 번져나갔다

요란한 바다에 소리없이 녹아든 포말은
아무리 불러도 어찌 답조차 않았던가

병실

같은 시간에 같은 모습으로 찾아오네요
안녕, 오늘은 어땠어요?
왜 내 말에는 대답 안 해줘요?

내가 당신의 사랑이든 뭐든
무언가에 미쳐버린 사람이라 그래요?

저 링거에는 뭐가 들었어요?
몰래 치사량의 여타 약물을 넣은 건 아니겠죠?

아, 아쉽네

껴안고 죽을 수 있었는데

서리

그렇게 좋아하시던
봄눈이 드디어 내리나 봅니다

그곳은 벚이 만개하였으나
아직 이곳은 십 도를 밑돌고

나에게 당신은 비로소
여름에 내려앉은 서리가 되었겠지요

새벽 공기

안구에서 쓰디쓴 단물이 넘쳐나던 밤
작은 조각을 잘못 삼켜
숨조차 쉬지 못하고 모든 것을 역류하려 했던

퇴색된 새벽은
하도 씹어버린 껌마냥
코끝에 알싸함만 남기고

버석버석한 이불

무언가가 다가오면 무언가는 도망간다더니
해가 떠오르니 그대는 가버렸나요
남아버린 흔적은 오로지 나만의 것이고
그대는 체취만 남기고 사라지는

나의 사랑이 그렇게도 두려웠나요
나를 시린 곳에 두고 가버릴 만큼

정말
당신과 함께 맞는 아침은

레이스 달린 치마

입을게요
뻣뻣하고 거추장스러운 치마도
그 위에 불필요히 달린 장신구도

당신이 비로소 원했던 나의 모습이라면
인형이라도 되어야지 뭐 어쩌겠어요

결국에는 고장나 버려질 뿐인 마리오네트

메모

~~좋아해~~
　나를 왜?

~~보고 싶어 손 잡아줘~~
　수업이나 들어

~~왜 내 눈 안 보는데~~

백 (白)

우리가 무언가를 좀 더 알았다면

이를테면
첫사랑의 법칙이라던가
마음을 표하는 공식이라던가

끝은 이러지 않았을까
우리는
무지했고
무지했기에 시절기억으로 남았고

너도
나도

원점

미안합니다

우리의 해피엔딩은 없습니다

시작이라도 했었다면
있기야 했을까요?

끝

너를 찾았다 생각하며
돌아본 길은
정도와 한참 어긋나 있었고

다 쓰인 만년필로
나오지 않는 잉크로
심장을 긁어파다

결국엔

시발점

헤매며
맴돌며
돌고
돌아

언젠가는 시작점이었던 너에게로
참 많은 후회를 끌어안고 도착했을 때

어쩌면 떠나버린 당신이
언젠가는 이곳으로 와줄까,

시발
다 의미 없습니다

올곧음

당신이 예의상 던져주었던
사랑이라는 장신구를 휘두르고

어린 허영에 도취하여
줏대 잃고 흐물흐물 거리에 무너져 내리는

돌아보면 단연코 메울 수 없었던
치기 어린 나의 방백

도덕

인간을 미워해서는 안 된다는 문자가 써진
목줄을 끊어내고

마음 편히 너를 미워할 수 있었다면
내 생은 조금 더 행복하였을까

우리
부디
다음 생은 서로를 미워하면서 살아가

정체성

그래서,
나는 뭘 믿으면 되는 건데요?

악마의 모습을 한 당신
천사의 모습을 한 당신

물론 둘 다 구원이기야 하겠지만

어렵네요
당신만의 알터 에고

애정

사랑과 사람은
자음 하나 차이고

애정과 애증은
모음 하나 차이잖아

애정하는 사랑 대신
애증하는 사람 어떠니

이런 걸 생각해 주는 것만 해도
너는 이걸 사랑이라 부르겠지
참으로 비겁해

사랑

사랑은 아파야 사랑이라던데
아프면 그건 병이지요

병명은 사랑이었고
당신을 향한 나의 사랑은 병이었음을

눈

얼어붙은 나의 세계에
쌓여버린 폭력적인 내리누름 속에

너라는 아가미로 호흡을 하고
구차하게 연명하는

쓸모없기 짝이 없는 희망

무 (無)

나의 하루에서 당신을 빼면
아무것도 남지 않는데

이게 맞는 건가요

가능성

확률에서
가능성이 제로인 일에
눈이 멀면
그건 멍청한 짓인 거죠

당신이
나의
눈을
멀게 했네요

책임지세요

맑음

두려웠으니까
어쩔 수 없었다

나의 흑백으로
당신의 색채를 완전히 덮어버릴까봐

당신이라는 청명에
나라는 먹구름이
불청객마냥 끼어들어

기상예보에 혼돈만 주고 당신을 납치할까봐

절대적 선

사랑이라는 무기가
언제까지 당신 손에 있을 것 같아요?

차라리 빌런 할게요
궁극적 악의 원천
모든 문제의 원인
영화의 끝은 진부하지 않았으면 해요

절대선을 짓밟을 수 있는 건
절대악 뿐이라고요

어때요,
이제 좀 나답나요

이데아

당신의 존재로서 완성되고
당신의 부재로서 파멸하는

그것을 모르지는 않았을 텐데

당신의 발 아래 짓밟힌 낙원은
언제 다시 개화하려나요

기적

세상의 극과 극
우리가 만난 것은 가히 기적이었다

색조 있는 너와
무채색의 나

추악하기보다는 어여쁜 너와
어여쁘기보다는 추악한 나

우리가 가진 유일한 공통점인 상처는
우리들 사랑의 이유가 되지 못했다

야광

봄의 뒷거리가 가진 어둠은
분홍을 잡아먹은 청록

퇴색된 거리에서
비로소 눈이 내리었고

녹아가는 설한의 유언인지도 몰랐던
그 빛을 천진히 발광이라 믿기만 했으니

밤

당신은 밤의 하늘
어두운 도화지를 가로지르는 하이얀 샛별

한 번의 만남을 위해 시간을 뒤집는 노력을 요하지만
당신께 둘러싸이면 날이 밝는지도 모릅니다

안녕, 당신
약속할게요

달이 뜨면 다시 찾아오겠다고

불안과 아늑의 공존

손끝에서 바스라질 波瀾은
대가 없이는 주어지지 않는
맞춤형 수트로 육체를 옥죄이고

검波浪으로 밀려오는
그대에 잠겨 질식하는 것은

평온을 갈구하는
가장 쉽고도 빠른 방법

검은 만년필

차라리 여백으로 두는 것이 나았을지 모르겠습니다
시꺼먼 잉크 속에 잠겨가는 글자들의 아우성
긁어내지조차 못하는 것을 보면

나의 손에서 탄생한 우매한 활자들은
끝없는 심의의 늪에서 입만 뻐끔, 뻐끔

야행성

내가 서식했던
한밤중의 달무리는

파도치던 궤도를
역으로 돌아

비로소 금성에 도래한
나의 몽상가

우주

나는 당신이라는 별을 모방하는 위성
떨어지는 혜성은 어쩌면 울고 있을지도 모르지요

나는 그저 당신의 빛을 받았을 뿐인데
당신은 하얗게 빛나며 소실되어 가고

공존할 수조차 없는 애달픈 원리법칙

성악설

인간은 사랑을 타고 태어난다
고대인들이 그리 떠들었건만

어여쁜 사랑은 그들의 전유물로 남았고
판도라의 상자를 긁어쓴 후
드러난 것은 추악한 민낯 뿐이라면

인간의 본성은 저급한 고통만 찾았을지 모릅니다.

형제

우리 소원권을 걸고
게임을 했습니다

내가 질 것을 뻔히 알면서도
몇 번이고 당신이 이기는 것을 알곤

그래도 게임을 해주셔요
내가 비로소 이길 때까지

끼워맞춰진 마지막 루미큐브 조각을 보고
활짝 웃는 나를 보고
비슷한 하관을 띠며
미소 짓던 당신은

심해

머리채를 움켜쥐고
숨의 자격조차 없다는 듯이

뒤통수를 떠미는 손에 그대로 고꾸라진 채
흐르지 않는 짙은 바다에
고갤 처박고

헐렁한 아가미로 뻐끔대며
더 이상 주입되지 못하는 산소를 갈구했던

검은 꽃들

낡고 쇳내 나는 사슬로
애정을 갉아먹을 때

잿더미로 남아버린
소진된 붉은색의 이슬은
장미였습니까 석산이었습니까

탄 자국

목숨을 걸고 사랑을 담보한 도박
패배한 이가 소유한 모든 애정을 걸고 뛰어들었지요

단 하나 실탄과 단 하나의 공포탄이 남았을 때
나는 주저 없이 나를 겨누었습니다

남은 화염의 자국은 어여삐 봐주시려나

노력

인접한 것들에 물들지 않는다는 건 어이하는 것일까요
잡기를 필히 원하여 그리한 것은 아니다만
가차 없이 빨려들어가는 중력의 힘에 부단히 저항합니다

채도 없는 우울에 물들어가는 천연한 색채

박쥐

날개를 꺾어지른 채로
곤두박질치던 당신의 코끝에는
작게 매달린 핏기만이 머물렀네요

어두운 밤을 비상하는 당신은
비상과 추락을 구분할 수는 있었답니까

눈동자

당신의 눈동자는 투명해서 싫었습니다

나의 모습이 흔들린다면
그것을 여과없이 담으며
당신은 어떤 생각을 합니까

차라리 다행입니다
필연적으로 비껴간 우리의 평행선은
적어도
다시는
눈 마주칠 일은 없겠지요

마녀

원하지 않았던 것이니 없애주겠다며
깔깔대는 운명의 결정을
어찌해야 바꿀 수 있었겠습니까

당신을 너무나 사랑했기에 증오한다고
당신이 없다면 나의 세계는 탄생조차 못한다고
단 한 번만 당신이 있는 세계에 살게 해달라고

애원해도
자욱하게 남는 건 희뿌연 비웃음 뿐일텐데

모순

미안합니다
그냥 살고 싶지 않았습니다

구원이라는 칼날은
숨통을 절단내고

애정이라는 족쇄는
발바닥을 갈아대던

당신의 사랑이 만연한 세계 속에서
살아가고 싶지 않았습니다

증명

비가시적인 개념들이 판을 치는 세상에서
우리가 믿고 매달릴 건 사랑밖에 없잖습니까

별 볼 일 없는 감정들을 늘어놓는 활자 따위는
한 번에 솟구쳐 바스라질 것이면서

모든 것이 변하고 소멸한다지만
사랑밖에는 영원할 것이 없다고

그렇게 믿는 내게
어서, 내게 사랑을 증명하십쇼

레퍼런스

흑백논리 & 무성영화 / CALU

필름 & 체스 & 그림자 / 밤의 노래

흑백영화 & 판화 & 낮과 밤 / 하늘나무

이분법적 & 옛날 사진 & 죽음 / 뭉

레트로 & 회상 & 몽환 & 꿈 / 조한서

재 (滓) / 사지

색조화장 / 주인

쿠키 속 크림 & 밤 중의 달 & 우주탐사선 & 때 묻은 은 목걸이 / 서만월

눈의 깜박임 & 권태 & 통달 & 무감 / 둔곤

석판 & 기록 & 정의 / 핑크솔트

과거 & 폴라로이드 & 어둠 & 밤 & 겨울 / 낙화

도화지 / 태지

천국 & 날개 & 거품 / Clair

병실 & / 우천 (牛喘)

서리 & 새벽 공기 & 버석버석한 이불 & 레이스 달린 치마 / 녕

메모 / 문서원

눈 & 무(無) & 가능성 & 맑음 / 조한서

야광 / 수빈

밤 & 불안과 아늑의 공존 / 반루

검은 만년필 / $

야행성 & 우주 & 성악설 / 조한서

형제 / 바다

심해 & 검은 꽃들 & 연기 & 탄 자국 & 노력 / Claire

박쥐 / 단일

눈동자 & 마녀 / 다즈

모순 / 여지한

증명 / H

북커버 / 주인

작업곡

순혈주의자 / 달의 하루

Public enemy / 도한세

나는 내일 과거의 너와 만난다 / 디핵 (Feat. 김미정)

Broken / 베리베리

Coming over / 베리베리

O / 베리베리

Time line / 빅톤

최종화 / 아이리 칸나

야간비행 / 에이티즈

Polaroid Love / 엔하이픈

베텔기우스 / 유우리

Winter flower / 윤하 (Feat. RM)

춘분 / 이한울